Ô FFFFILLES

Salut Beauté!

Guide de la mode

Kristen Kemp

Texte français : Le Groupe Syntagme inc.

Les éditions Scholastic

Pour toute information concernant les droits,
s'adresser à Scholastic Inc.,
555 Broadway, New York, NY 10012.

Conception graphique de la page couverture
et de l'intérieur du livre : Louise Bova.

ISBN 0-439-98695-8

Titre original : 2 GRRRLS – Hello Gorgeous.

Édition publiée par Les éditions Scholastic,
175 Hillmount Road, Markham (Ontario) L6C 1Z7.

5 4 3 2 1   Imprimé au Canada   01 02 03 04 05

TABLE DES MATIÈRES

SALUT BEAUTÉ!
À LIRE ABSOLUMENT!

Salut! Comment ça va? Comme ça, tu veux découvrir ton propre style? Tu es au bon endroit pour suivre le cours « mode 101 ». Grâce à ce livre, tu apprendras tout ce qu'il te faut savoir pour être belle... en dedans comme au-dehors! En fait, chaque fille doit trouver son propre style : c'est ce qui la rend unique. Le style, ce n'est pas seulement les vêtements. Pas du tout! Ça va beaucoup plus loin. C'est ta façon d'agir, ce que tu dis, ce que tu penses et ce que tu aimes.

Que tu sois fleur bleue, flamboyante, fonceuse ou farfelue, le plus important, c'est ce que tu es en dedans. Ton style intérieur est vraiment précieux, et c'est quelque chose qui ne s'achète pas. Les filles qui se sentent bien dans leur peau ont leur propre façon de penser. Et elles savent ce qui leur plaît. Elles peuvent donc reconnaître le style de vêtements qui leur convient, des vêtements qu'elles trouvent à la fois chouettes et confortables.

Le style, c'est se sentir super bien, des pieds à la tête. Ce livre t'aidera à trouver ton vrai style. Penses-y : es-tu une fille fleur bleue, flamboyante, fonceuse ou farfelue? Lis ce que ces filles ont à te dire, et vois si tu te reconnais dans un de leurs styles. Aimes-tu porter des couleurs complètement sautées ou des vêtements simples mais frappants? En répondant à ces questions, tu en apprendras beaucoup sur ton style personnel!

Commence à lire et tu découvriras que, toi aussi, tu as ta petite idée sur le style. En fait, on pourrait dire que ton style, c'est ta façon de mettre en valeur ta propre beauté. Allez, révèle ta beauté au monde entier! Mais n'oublie pas : sois toujours toi-même!

sois toujours toi-même

sois toujours toi-même

Chapitre 1

La fille fleur bleue Découvre la princesse en toi!

Es-tu une fille fleur bleue?
Lis ce qui suit et tu le sauras!

La fille fleur bleue vue de l'intérieur

Qu'est-ce que la fille fleur bleue a de si spécial? Eh bien, elle raffole d'être une fille! C'est si amusant! La fille fleur bleue adore se faire belle pour aller à une fête, mais elle aime aussi les petits extra de la vie : les cadeaux bien emballés avec de grosses boucles, les couvre-oreillers à volants et l'odeur des fleurs du printemps. Ces genres de choses donnent le sourire aux filles fleur bleue.

Tu connais l'expression « bon comme du bon pain »? Eh bien, on peut l'appliquer à la fille fleur bleue. Elle est charmante! Elle est prévenante avec ses amies et essaie toujours de leur faire savoir à quel point elles comptent pour elle. Mais, en fait, elle est gentille avec tout le monde et se fait un devoir de ne jamais dire de choses blessantes. Quelquefois, la fille fleur bleue peut être un peu timide lorsqu'elle rencontre de nouvelles personnes, mais elle aime tout le monde.

La fille fleur bleue pense toujours aux personnes qui l'entourent. Elle fait toujours de son mieux pour les rendre heureuses. Elle partage ses bonbons et fait des compliments sincères – elle se sent bien lorsqu'elle aide les autres à se sentir bien eux aussi.

La fille fleur bleue est toujours organisée. Sa chambre est propre et bien rangée, et sa garde-robe l'est tout autant. Dans sa case? C'est propre, propre, propre! Son mot d'ordre : de l'ordre!

Et, oh! un autre point important : une fille fleur bleue croit à l'amour véritable. Sa force et son charme sont suffisants pour lui permettre d'inventer ses propres contes de fées, et elle est convaincue qu'elle les vivra un jour.

SALUT PRINCESSE!

Le style charmant d'une fille fleur bleue

La fille fleur bleue est aussi charmante au-dehors qu'elle l'est en dedans. Es-tu une fille fleur bleue? Aimes-tu ce qui est joli? Une fille fleur bleue veut toujours porter de beaux vêtements – même si elle va jouer au baseball, elle préférera porter une robe bain-de-soleil avec ses espadrilles plutôt qu'un short en jean. Et si sa robe a de longs rubans qui lui permettent de faire une boucle dans le dos, c'est encore mieux! Les filles fleur bleue adorent être jolies.

Pour une fille fleur bleue, l'agencement est primordial. Tout doit être coordonné : même son sac à dos et le ruban qui retient sa queue de cheval. Elle est reconnue pour porter le même ravissant imprimé fleuri des pieds à la tête. Parfois, sa blouse aura la même bordure que son pantalon – elle aime les vêtements bien assortis. La fille fleur bleue adore porter des vêtements en tissus légers aux jolies couleurs pastel et de mignonnes boucles d'oreilles assorties. Et, oh! bien sûr! une fille fleur bleue n'oublie jamais les accessoires : elle raffole des bracelets en perles coordonnées, des boutons spéciaux et des beaux bijoux scintillants.

La fille fleur bleue est toujours tirée à quatre épingles. Elle a horreur des faux plis et des vieux souliers troués – elle veut toujours être à son meilleur! Tout comme elle aime que sa chambre soit toujours impeccable, elle veut que ses vêtements soient parfaits et bien repassés.

La Fille Fleur bleue

VOICI ROSIE!
C'est une fille fleur bleue

*R*osie est le genre de fille qui fait bien des efforts pour que tout soit parfait. Elle ne peut supporter de voir les gens autour d'elle être tristes ou fâchés. C'est pourquoi elle fait l'impossible pour que ses amis soient heureux. Lorsqu'elle fait des choses pour ses amis et pour les membres de sa famille, elle se sent bien à l'intérieur.

Mais comme elle aime que tout soit parfait, Rosie a tendance à beaucoup s'en faire. C'est l'inconvenient quand on est perfectionniste.

Comme bien des filles fleur bleue, Rosie est très bien organisée – même pour son alimentation. Elle aime donner des conseils sur les quatre groupes alimentaires. Elle rappelle constamment à ses amis qu'ils doivent manger au moins cinq portions de fruits et de légumes chaque jour. Elle voudrait que ses amis et ses proches soient en bonne santé. Quelquefois, elle cuisine pour eux afin de s'assurer qu'ils s'alimentent bien. Rosie prépare même des friandises spéciales pour son chat, Cristal. Elle adore son gros minou blanc!

Rosie raffole des vêtements féminins aux motifs fleuris ou aux bordures en dentelle. Sa garde-robe déborde de robes et de jupes. Pour Rosie, porter du rose est un mode de vie – elle en porte même dans son prénom! Lorsqu'elle porte des vêtements qui lui vont à ravir, elle a l'impression d'être une princesse!

« Plus tard, je veux dessiner des vêtements. Ce doit être vraiment formidable de créer une robe qui permet à une fille de se sentir parfaite lorsqu'elle la porte. Je sais bien que c'est dans la tête qu'on est belle, mais c'est formidable de porter des vêtements qui donnent l'impression d'être spéciale. »

La fille fleur bleue

Le monde de la mode : le rêve de Rosie

Vu son amour pour les vêtements ravissants, il n'est pas étonnant que Rosie rêve de devenir un jour une célèbre dessinatrice de mode! C'est une profession qui convient parfaitement aux personnes qui ont, comme elle, le souci du détail : coudre et dessiner exigent beaucoup de minutie et de réflexion. Rosie rêve d'utiliser un jour des tissus originaux aux motifs charmants et superbes pour fabriquer des robes fantastiquement fleur bleue.

Le look fleur bleue

Conseils de Rosie

1. Il te faut des jupes, des jupes et encore des jupes! Elles sont parfaites en toute occasion et te permettent de toujours avoir l'air féminine et de te sentir charmante!

2. De ravissants souliers assortis donnent le style; il faut donc les choisir avec soin. Par exemple, il est préférable de porter un mocassin avec une tenue tout-aller et des souliers plus habillés avec une jupe. Assure-toi qu'ils sont impeccables, et porte-les un peu à la maison avant de sortir! C'est très désagréable de nous apercevoir, une fois parties, que nos orteils nous font souffrir!

3. Repasse toujours tes vêtements. Les vêtements froissés et pleins de faux plis sont à éviter, du moins quand tu veux, comme Rosie, être toujours élégante. Demande à un pro – comme maman ou papa – de te montrer comment faire. Puis, fais disparaître tous les vilains plis!

4. Les accessoires coordonnés à ta jupe ou à ton haut ajoutent une jolie touche à tes vêtements! Des boucles d'oreilles ou des bracelets de la couleur appropriée sont essentiels pour Rosie. Elle a même un collier tout désigné pour aller avec son T-shirt mauve orné d'une libellule! Comme elle le dit si bien, la règle d'or de la fille fleur bleue se résume en un seul mot : accessoires!

5. Il n'est donc pas étonnant qu'un sac à main fantastique soit un accessoire indispensable! (Tu as besoin d'un endroit où ranger tes mouchoirs lorsque tu vas au cinéma voir un film triste!)

6. Les bagues, c'est génial, ça aussi! En plastique ou en métal, peu coûteuses ou empruntées – tant qu'elles sont colorées, elles font l'affaire!

7. Si tu veux embellir un ensemble, porte des barrettes assorties. Et le tour est joué!

Que dit Rosie du style intérieur?

« Fais des choses gentilles pour les autres! Tu verras, tu te sentiras super bien! »

« J'aime vraiment que tout autour de moi soit organisé et préparé. Je suis une personne ordonnée, et j'aime que mes vêtements soient eux aussi impeccables! »

« Les vêtements que je porte n'ont pas autant d'importance que mes amies. Je donnerais tous les vêtements que je possède pour ne pas perdre Véro, Alex et Zoé. J'espère juste qu'elles me prêteraient quelque chose si je n'avais rien à me mettre! »

La devise de Rosie!

« Personne ne devrait hésiter à porter du rose. C'est mignon et délicat : c'est la couleur des princesses! »

Chapitre 2

La fille flamboyante Un esprit pratique... et super-branché!

Tu es toujours à l'affût des nouvelles tendances?
Peut-être es-tu une fille flamboyante...

La fille flamboyante vue de l'intérieur

La fille flamboyante est vraiment cool. Elle raffole de la mode. C'est la fille la plus branchée de la bande. La fille flamboyante connaît tout ce qui est le plus *in* maintenant et a un flair infaillible pour les tendances à venir. Elle se fait un point d'honneur de savoir tout ce qui se passe. Qu'il s'agisse du style de danse le plus branché ou du meilleur livre qui vient de sortir, la fille flamboyante le connaît.

La fille flamboyante est aussi une bonne copine. Elle n'a pas son pareil pour donner de bons conseils. Et si un bon éclat de rire est le meilleur médicament, la fille flamboyante peut guérir bien des maux. Elle adore faire des blagues et s'amuser.

L'une des raisons pour lesquelles elle est toujours bien entourée, c'est qu'elle a très confiance en elle. Elle croit en elle-même, et elle croit en ses amis. Tu peux compter sur elle pour te remonter le moral. Ses amis se sentent forts lorsqu'elle leur dit : « Vas-y, tu es capable! » Elle sait que tout est possible, que toutes les portes lui sont ouvertes, et elle encourage ses amis à voir la vie de cette façon.

La fille flamboyante a toujours un pas d'avance sur tout le monde.

Franchement chic! Le style hyper-raffiné de la fille flamboyante

La fille flamboyante suit la mode avec sérieux. Elle porte toujours des vêtements dernier cri. Elle n'a pas son pareil pour deviner les nouvelles tendances. Le vêtement qu'il-faut-absolument-avoir-pour-être-cool? La fille flamboyante l'a déjà! Si quelque chose était populaire l'an passé, tu peux être certaine qu'une fille flamboyante ne le portera pas cette année. Elle n'y peut rien : elle adore être à l'avant-garde des modes et des tendances. Pour toujours avoir un look éclatant et nouveau, la fille flamboyante s'inspire de ce qu'elle voit dans les magazines et à la télé. Elle s'amuse à feuilleter ou à zapper pour voir ce qui est populaire et ce qui fait bon effet. Après tout, une fille flamboyante ne va tout de même pas porter des vêtements qui ne l'avantagent pas! Même si elle adore être branchée, elle ne va pas jusqu'à porter des vêtements ridicules simplement pour suivre la mode. Pour une fille flamboyante, être à la page veut dire être et se sentir belle – pas tenter de ressembler à tout le monde. Quand une fille flamboyante entre dans un centre commercial, elle fait vraiment la tournée des boutiques. Elle passe des heures à fureter dans les beaux magasins et à essayer tout ce qu'elle voit. Par contre, elle essaie d'acheter des vêtements en solde. Toujours acheter des nouveautés peut finir par coûter cher.

Les couleurs sombres (surtout le noir) plaisent aux filles flamboyantes : c'est raffiné et c'est une façon de s'affirmer. Mais comme la fille flamboyante a une personnalité brillante et colorée, elle ajoutera des touches de mauve, de rouge, d'orange ou de bleu poudre (ou de la couleur qui est à la mode) à ses vêtements cool et originaux.

Oui, on peut affirmer sans se tromper que la fille flamboyante est la reine du style! Mais elle est également la reine de la pensée positive et de la confiance, une excellente source d'inspiration pour ses amis. Ce n'est pas seulement une fille chic, c'est une chic fille!

VOICI ALEX!
C'EST UNE FILLE FLAMBOYANTE

*Q*uand Alex est là, on est sûr de rire. Elle est probablement la fille la plus drôle en ville. Elle est très positive et adore faire sourire les gens. Avec elle, on oublie sa timidité! Alex n'a absolument rien d'une fille réservée – elle est super-amicale et extravertie.

Pour Alex, rien n'est impossible – ni mentalement ni physiquement. Par exemple, l'été dernier, elle a appris à nager : elle a tellement aimé l'expérience qu'elle a décidé de devenir vraiment bonne. Elle a nagé presque tous les jours et, à la fin de l'été, elle avait parcouru la distance jusqu'à Vancouver – en longueurs de piscine, bien sûr! Maintenant, elle fait même partie de l'équipe de natation. Elle aborde la vie avec beaucoup d'énergie et une façon de penser très positive.

Mais ce qu'Alex aime par-dessus tout, c'est chanter – la musique, c'est sa passion. Elle chante tout le temps parce que cela la rend joyeuse. La scène musicale n'a aucun secret pour elle, et elle connaît par cœur tous les succès de l'heure. Elle sait toujours à l'avance quel groupe musical va faire un malheur. Et impossible de ne pas la remarquer sur la piste de danse. Naturellement, elle enseigne les mouvements à ses amies pour qu'elles puissent toutes danser ensemble. Côté mode vestimentaire, Alex n'a pas son pareil. Elle est toujours à la fine pointe de la mode, et tout ce qu'elle porte a tellement, tellement de style! Elle raffole des ensembles noirs, car ils sont extrêmement élégants, mais elle peut également avoir beaucoup de classe en portant un corsage de velours rouge avec son jean préféré. Elle a plus d'un look, mais ils sont tous modernes et stylisés.

« Ce que j'aimerais vraiment faire dans la vie? Ce serait être à la télé et raconter mes blagues à tout le monde. L'idée de faire rire beaucoup de personnes en même temps me plaît énormément. Je pourrais faire jouer des vidéos vraiment cool, parce que la bonne musique met tout le monde de bonne humeur. C'est important de se sentir bien. Une attitude joyeuse m'aide à surmonter toutes les difficultés. Je crois que mon bonheur intérieur fait de moi une personne plus forte à l'extérieur. »

La fille flamboyante

Lâche ton fou!

Comme Alex est folle de musique, elle veut être une VJ plus tard. Pour elle, une seule chose est encore mieux que faire connaître la bonne musique : faire rire les gens! En étant une VJ, elle pourra faire les deux.

Un look flamboyant et fantastique!

Conseils d'Alex

1. Dans le doute, porte du noir. C'est une couleur qui donne du style instantanément. Et quelle élégance!

2. Mais ajoute toujours une petite touche de couleur! Un sac à main rouge, un foulard rose ou une veste mauve donne de la gaieté aux vêtements noirs. « Tu peux même tout simplement changer tes bons vieux lacets blancs! Moi, j'adore les lacets rose fluo! »

3. Une paire de souliers vraiment cool peut faire toute la différence. Comme tu porteras les mêmes souliers avec des vêtements différents, aie une paire que tu aimes.

La fille flamboyante

La fille flamboyante

4. Voici un petit truc pour te sentir vraiment fantastique! Enfile tes vêtements et monte le volume de la musique. Quelques mouvements de danse avant de sortir de ta chambre seront suffisants pour te donner un air joyeux et te faire sentir belle. De cette façon, n'importe quel vêtement t'ira à ravir.

5. Les revues de mode envoient beaucoup de messages, certains sont bons et d'autres, non. Ne choisis que les tendances qui te permettront d'être et de te sentir belle – celles qui te permettront en fait d'être toi-même.

6. Demande à des personnes en qui tu as confiance de te donner leur avis sur la mode vestimentaire. Elles pourront te donner de fabuleuses idées et des conseils dont tu n'oserais même pas rêver!

Que dit Alex du style intérieur?

« J'essaie de toujours garder l'esprit ouvert. Je n'aime pas que les autres me jugent et je n'aime pas juger les autres. De plus, en ayant l'esprit ouvert, je suis une meilleure personne. Et j'ai beaucoup plus de plaisir à essayer de nouvelles choses et de nouveaux styles! »

« Fais profiter les autres de ton sens de l'humour, et tu deviendras plus belle à l'intérieur et à l'extérieur. Allez, n'hésite pas, porte le plus bel accessoire qui soit : un sourire! »

La devise d'Alex!

« J'adore porter les vêtements les plus « in » et un sourire rayonnant – c'est ce qui m'aide à être et à me sentir à mon meilleur! »

Chapitre 3

La fille fonceuse
Laisse ton côté
audacieux s'exprimer!

As-tu tout ce qu'il faut
pour être une fille fonceuse?

La fille fonceuse vue de l'intérieur

Lorsqu'une fille fonceuse se déchaîne, attention!
Elle a de l'énergie à revendre. Il le faut bien, car elle
s'intéresse à tout. Elle a mille passe-temps et est
toujours à la course pour que tout soit fait. Elle
n'arrête pas une minute! La fille fonceuse a une
allure sportive et est très sûre d'elle-même –
avouons-le, elle est un peu garçonne! On pourrait
même dire qu'elle est excessive. C'est qu'elle n'a pas
peur de prendre des risques ni de s'amuser.

La fille fonceuse a du cran – elle fait valoir son
point de vue avec vigueur. Elle sait d'instinct ce qui
est bien et ce qui est mal, et elle défend toujours ce
qu'elle croit être bien. Elle ne s'en laisse pas imposer
par les fiers-à-bras, surtout s'ils s'en prennent à
l'une de ses amies. Elle va défendre ses amies à tout
prix.

Une autre caractéristique de la fille fonceuse,
c'est son indépendance. Elle aime faire beaucoup de
choses seule. Elle préfère découvrir des choses par

elle-même et se faire sa propre idée. Elle est très occupée et n'a pas besoin de beaucoup d'amis, mais elle est extrêmement loyale envers ceux qu'elle a.

La fille fonceuse

La fille fonceuse

Vas-y, ma belle

Le confort à tout prix! Le style décontracté de la fille fonceuse

La fille fonceuse n'a pas beaucoup de temps pour s'occuper de la mode – elle n'a pas beaucoup de temps, point. Ses vêtements doivent être pratiques parce que c'est une fille qui a la bougeotte. Elle veut que ses vêtements soient ultra-confortables. Elle porte des vêtements qui lui permettent de se sentir en confiance. Elle aime les jeans sans flaflas, les couleurs vives et les T-shirts aux logos amusants. On voit du premier coup d'œil qu'elle est une athlète – elle porte souvent des vêtements de sport à rayures et des chaussures de course. Lorsqu'elle pratique un sport, elle aime porter un pantalon de survêtement et un débardeur. Pour ses cheveux, elle aime les styles laver-porter : soit très très courts pour ne pas avoir à les sécher, soit assez longs pour pouvoir vite se faire une queue de cheval avant de sortir de la maison au galop.

La fille fonceuse n'aime pas tellement s'habiller chic. Ses parents doivent la convaincre de porter de beaux vêtements. Elle ne porte jamais de robe... à moins d'y être vraiment obligée!

Les filles fonceuses ont presque toujours une chose en commun : les chaussures. La collection de chaussures d'une fille fonceuse se limite à des chaussures de sport et à de confortables bottes de randonnée.

Elle ne consacre pas beaucoup de temps à la mode. Elle se fiche un peu de ce que les autres pensent. Pour elle, style et confort vont de pair. C'est une fille sincère dans sa façon d'agir et dans son apparence.

VOICI VÉRO!
C'est une fille fonceuse

*V*éro est un vrai garçon manqué, et rien ne peut la retenir. Elle sait que si elle croit en ses rêves, ils deviendront réalité. C'est pourquoi elle est toujours en mouvement – elle a beaucoup de rêves à réaliser!

Un de ses rêves est d'être une grande athlète. Elle aime tout particulièrement le soccer et y est meilleure que bien des gars, mais elle se dévoue pour son équipe de filles. Comme elle est en super forme, elle n'a pas peur de relever les défis.

Et n'allez surtout pas vous en prendre à une de ses amies. Elle est prête à se battre pour ce qu'elle croit juste. Ce qui est étonnant de Véro, c'est que même si elle est suffisamment brave pour faire face aux gros bras, elle est aussi un peu timide. Il faut beaucoup de temps pour apprendre à la connaître parce qu'elle est très indépendante. Bavarder ou parler de tout ou de rien devant les cases, ce n'est pas son genre. Mais elle n'a aucun problème à s'ouvrir à ses bonnes amies parce qu'elle se sent bien avec elles.

Elle adore passer du temps avec ses amies, mais elle aime également se retrouver seule pour lire des livres, travailler à son site Web ou regarder la télé. Elle peut faire un million de choses en même temps!

Pour ce qui est de sa garde-robe, la priorité absolue de Véro, c'est le confort. Elle a besoin de vêtements qui ne l'empêcheront pas de bouger. On y retrouve donc des jeans, des leggings, des survêtements et des vêtements en polar et en flanelle. Lorsqu'elle veut s'habiller chic (ou plutôt, quand elle y est obligée), elle porte un corsage coloré en nid-d'abeilles et son pantalon capri préféré. Peu importe ce qu'elle porte, elle est toujours prête pour une partie de basket-ball ou une promenade dans le parc.

La fille Fonceuse

31

Véro aime être une pro!

Véro est très intelligente et elle aime tout comprendre. C'est peut-être pour ça que les ordinateurs n'ont pas de secret pour elle. Elle utilise toujours les gadgets les plus nouveaux pour ses créations sur le Web. Un jour, peut-être, c'est ce qu'elle fera dans la vie – créer des sites Web sur des sujets importants. Ou peut-être qu'elle sera un médecin qui fait de la recherche sur des maladies graves. Elle n'en est pas encore certaine. Tant de choses l'intéressent! Elle sait cependant qu'elle veut contribuer à changer les choses. Et elle sait que si elle travaille vraiment fort, elle pourra réaliser ses rêves!

« Ce qui me rend vraiment heureuse, c'est d'être moi-même. J'aime être une athlète, bien réussir à l'école et aider mes amies à faire leurs devoirs. Je sais que je suis parfois intrépide, mais je suis aussi un peu timide – c'est bizarre, mais c'est comme ça. Je suis une personne complexe, mais je suis moi-même! Et je n'essaie jamais d'être quelqu'un d'autre. »

La super-branchée

Elle peut être tout ce qu'elle veut.

L'audacieuse

Elle croit en ses rêves et les réalisent!

Véro

Le code vestimentaire de la fille fonceuse

Conseils de Véro

1. Essaie des jeans en stretch. Porte aussi des pantalons à jambes larges. Ils sont cool, bien sûr, mais ils te permettent aussi de participer à un match de soccer ou de ballon chasseur improvisé.

2. Certaines filles N'AIMENT PAS porter des jupes, il n'y a pas de mal à cela!

3. Lorsque tu as besoin de te remonter le moral, porte ta couleur préférée. Véro aime porter du rouge. C'est une couleur vive et pleine d'énergie – comme une fille fonceuse.

4. Véro emprunte beaucoup de vêtements à ses frères. Elle adore porter des shorts un peu longs et des chaussettes épaisses. « Je suis persuadée que les chaussettes avec des bandes de couleur durent plus longtemps! »

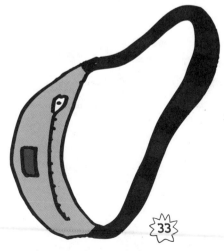

5. Si tu portes un T-shirt de coton coloré pour aller à l'école, tu seras prête pour ta pratique de soccer en un clin d'œil! Il suffit de troquer ton jeans pour une paire de shorts, et en route pour le terrain de soccer!

6. Les vêtements de ski sont aussi des vêtements d'hiver super-cool. Véro aime tout particulièrement les parkas et les vestes.

7. Il vaut mieux s'en tenir à des styles adaptables que de toujours suivre la mode. C'est du moins ce que Véro se dit.

8. « Une chose qu'il faut savoir : le coton est vraiment le tissu le plus confortable au monde! »

Que dit Véro du style intérieur?

« Quand je fais des activités et du sport, je me sens bien, et je suis dans une forme fantastique! C'est pourquoi je n'oublie jamais de faire de l'exercice! »

« Je n'ai pas peur de m'imposer. J'aime porter des vêtements qui me donnent un sentiment de liberté. Je crois que tout le monde comprend que je ne me laisse pas arrêter par ce que les autres pensent! »

« Mon style à moi, c'est d'être la meilleure possible à tous les égards. C'est-à-dire mettre beaucoup d'efforts dans tout ce que j'entreprends. »

La devise de Véro!

« Porte des vêtements colorés dont tu ne seras pas prisonnière! »

La fille farfelue
Direction : Hollywood!

Ta vie est-elle un spectacle? As-tu la fibre d'une superstar? Tu es peut-être une fille farfelue...

La fille farfelue vue de l'intérieur

La fille farfelue a son style bien à elle – c'est une vraie originale. Personne ne voit les choses exactement comme elle. Elle est très intense et comédienne. Lorsqu'elle est de bonne humeur, elle arbore un large sourire et rit toujours très fort, mais elle est aussi parfois d'humeur morose. Elle peut sembler instable, mais elle est seulement très passionnée, tant pour les choses que pour les personnes. Et elle ne cherche pas à cacher ses émotions.

La fille farfelue rayonne d'énergie et d'originalité. Elle sait que c'est dans la tête qu'on est beau, et tous ceux qui la rencontrent tombent sous son charme. Elle sait aussi apprécier la beauté intérieure de ses amies. Elle aime connaître une personne à fond, dans ses moindres détails.

Cependant, la fille farfelue peut aussi être un peu tyrannique. Elle a tellement de bonnes idées d'activités que parfois, elle s'enthousiasme un peu trop et pousse ses amies de filles à bout. Elle est aussi ultra-sensible et se sent parfois menacée. Mais elle réussit toujours à s'en sortir brillamment.

Par-dessus tout, la fille farfelue aime le spectacle. Lorsqu'elle se met à raconter ses histoires à dormir debout, le silence se fait. Bien sûr, il lui arrive d'exagérer un peu, mais personne ne peut résister à ses histoires captivantes.

La fille farfelue

Les filles farfelues brillent au firmament des stars!

Pour être une fille farfelue, il ne suffit pas de porter des vêtements extravagants – il faut vraiment ÊTRE extravagante! La fille farfelue a quelque chose de spécial qui fait qu'elle brille toujours de tous ses feux. Qu'elle porte un étincelant T-shirt argenté, une robe rouge vif ou un corsage hippie aux motifs insolites sur un jeans pattes d'éléphant, tu peux être certaine que la fille farfelue se prend pour une star... et on y croit! Elle a une si grande beauté intérieure qu'elle en est électrisante!

La fille farfelue ne s'intéresse pas tellement à la dernière mode. Elle s'est inventé une mode bien à elle. Ses vêtements sont un peu extravagants – tout comme sa personnalité. Le moins qu'on puisse dire, c'est qu'elle ne passe pas inaperçue!

Jamais une fille farfelue ne fera tous ses achats dans un grand magasin ou par catalogue. Elle aime ce qui est unique. Elle peut porter une mini-jupe en damier, un pantalon de velours violet ou une veste sans manches vert lime. Elle raffole des chapeaux, des bijoux scintillants et de toutes les sortes de ceintures. C'est pourquoi elle adore les friperies.

Elle passe beaucoup de temps à la recherche de fringues rétro qui lui vont à la perfection. (Rétro, ça veut dire des vêtements ou des accessoires qui étaient très populaires il y a des années et qui sont super-cool aujourd'hui.) La fille farfelue fouine également dans la garde-robe de sa mère et y fait des trouvailles. Elle trouve amusant de porter des vêtements que sa mère portait lorsqu'elle avait son âge. La fille farfelue aime porter de vieux vêtements de fantaisie, car ils lui permettent d'inventer son propre style, comme une vedette de cinéma!

La fille farfelue

VOICI ZOÉ!
C'est une fille farfelue

*U*n coup d'œil à Zoé et tu comprendras – c'est une fille farfelue à tous les égards. Elle a vraiment un petit quelque chose de très spécial et elle ne passe jamais inaperçue. La beauté de Zoé lui vient de l'intérieur. Elle est gentille, charmante et énergique. C'est une véritable originale qui veut connaître les gens pour savoir ce qui les rend uniques, eux aussi.

Zoé peut être émotive et sensible, mais c'est ce qui fera d'elle une grande actrice, un jour (c'est ce qu'elle veut faire dans la vie). Elle est très intense – lorsque Zoé est heureuse, tout le monde le sait. Et lorsqu'elle est triste, elle ne refoule pas ses larmes. Elle n'aime pas cacher ses émotions – elle préfère les exprimer.

Zoé est membre du club d'art dramatique local. Elle a joué toutes sortes de rôles, de la girafe à la princesse égyptienne, et elle a presque toujours obtenu une ovation. Bref, Zoé a vraiment du talent!

Lorsque Zoé s'habille, c'est comme si elle enfilait un costume de théâtre. Un jour, elle peut porter une chemise boutonnée jusqu'au cou avec une cravate empruntée à un de ses frères. Le lendemain, elle enfilera une jupe à carreaux avec béret assorti. Elle adore les robes, les chapeaux et les gants des années 60 que sa tante lui a donnés et qu'elle trouve si jolis. Les vêtements hippies de sa mère l'amusent aussi beaucoup. Elle a un superbe chapeau en perles qui semble tout droit sorti de l'époque du charleston. Mais le joyau de sa collection de vêtements, c'est une jupe à motifs de caniches des années 50.

La fille farfelue

Zoé veut que tous les vêtements qu'elle porte soient spectaculaires et uniques – tout comme elle. Mais ce qui est encore plus important à ses yeux, c'est d'être extravertie et intense dans tout ce qu'elle dit et ce qu'elle fait.

La fille farfelue

Laisse Zoé te divertir!

Le spectacle? Zoé est tombée dedans quand elle était petite! Tout a commencé lorsqu'elle avait six ans et qu'elle est allée à New York avec sa famille. Elle est montée jusqu'au sommet de la statue de la Liberté et, lorsqu'elle a vu les grands édifices et tous ces gens, son imagination s'est emballée. Elle a décidé qu'un jour elle déménagerait dans la *Grosse Pomme* et qu'on la verrait sur Broadway!

C'est une fabuleuse comédienne, qui peut même pleurer sur demande!

« Je ne dis pas à tout le monde comment j'arrive à pleurer sur demande... Il faut garder un certain mystère! Mais je pense toujours à la tristesse que j'éprouverais si je n'avais plus mon chien, Oscar. Il est tellement spécial, et je serais si bouleversée s'il fallait qu'il lui arrive malheur. Si cette pensée ne réussit pas à me tirer des larmes, je me pince alors très fort. Mais seulement en cas d'urgence! »

Les astuces de Zoé pour être une fille formidablement farfelue

1. Il suffit d'un seul accessoire ou d'un vêtement bien spécial pour donner un air spectaculaire à un ensemble ordinaire. Trouve-toi une paire de lunettes (sans prescription) pas chères à grosses montures ou un bandeau de faux diamants étincelants pour ajouter de la fantaisie à tes tenues.

2. Lorsque tu adoptes le look hippie, essaie de trouver des corsages fleuris dont les manches s'évasent à partir du poignet. Ils ne coûtent presque rien dans les friperies.

3. Des accessoires simples pour les cheveux sont indispensables. Pour une apparence proprette, tire tes cheveux de chaque côté de ta frange avec une petite barrette. Pour avoir l'air de sortir tout droit des années 50, roule un foulard et noue-le autour de ta queue de cheval.

La fille farfelue

4. Du haut jusqu'en bas, tous les morceaux d'un ensemble doivent être assortis. Fais un essai pour t'assurer que tout est parfait avant de sortir (ou d'aller à l'école!).

5. « Les sacs à main rétro sont beaucoup plus mignons que tout ce qui se fait maintenant! » Écume les friperies pour trouver toutes sortes de sacs à main – à paillettes ou en plastique. Ils sont tous super-mignons!

6. Si tu ne te sens pas farfelue, enfile un joli cardigan par-dessus tes vêtements.

7. Coordonne tes vêtements à ta guise. « J'aime porter toutes sortes de couleurs ensemble, même si elles ne sont pas exactement coordonnées. Si elles me vont bien, je me sens belle lorsque je les porte. »

La fille farfelue

Que dit Zoé du style intérieur?

« Quelquefois, en me voyant, les gens ne comprennent pas mon look. Moi, je l'aime bien. C'est pourquoi je porte mes vêtements avec fierté. J'ai découvert qu'en réalité, les autres m'admirent de ne pas avoir peur d'être unique! »

« Je sais écouter! Lorsque je fais de petites choses pour les autres, je me sens vraiment bien en dedans. »

« S'en faire pour ses vêtements, c'est bien, mais s'en faire pour les autres, c'est encore plus important. Il faut toujours demander aux autres ce qu'il y a de nouveau dans leur vie. Il faut toujours faire preuve d'amitié et d'attention envers les autres, même si on ne les connaît pas très bien. »

La fille farfelue

La devise de Zoé!

« Si tu veux vraiment te faire remarquer, invente ton propre style. Sois courageuse et sois toi-même! »

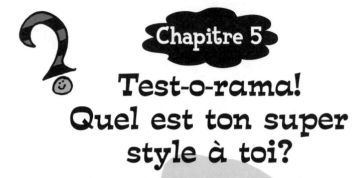

Chapitre 5

Test-o-rama!
Quel est ton super style à toi?

TEST 1 : QUEL EST TON STYLE INTÉRIEUR?

Passe ce test pour découvrir ton style intérieur.
Il suffit de cocher chaque énoncé qui te décrit
vraiment!

_____ Tu adores parler aux autres pour
découvrir ce qui est important à leurs
yeux. Tu aimes découvrir dans chaque
personne ce qui la distingue.

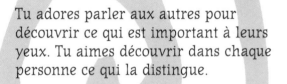

_____ Tu es vraiment bonne dans les sports ou
à l'école ou dans quelque chose d'autre.
Et tu l'admets, tes grandes capacités
font que tu es satisfaite de toi.

_____ Disons que tu es au cinéma et qu'une de
tes amies a un coup de déprime. Il te sera
impossible de te concentrer sur le film
parce que tu t'inquiéteras trop à son sujet.

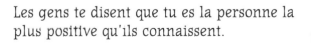

_____ Les gens te disent que tu es la personne la
plus positive qu'ils connaissent.

_____ Tu es reconnue pour être une fille tout à fait unique.

 _____ Aider les autres et t'en occuper fait partie de ta personnalité! Tu adores prendre soin des autres.

_____ Lorsqu'un méchant insecte terrorise tout le monde, c'est toujours toi qui as le courage de le ramasser.

_____ Tu es expressive et émotive – tu peux passer du rire aux larmes en un clin d'œil.

_____ Faire sourire et rire les autres te vient tout naturellement.

_____ Les gens te disent que tu as une capacité incroyable de faire beaucoup de choses en même temps. Tu as des tas de passe-temps.

_____ Tu adores être le point de mire. Lorsque tu racontes une histoire pendant le dîner, tout le monde écoute.

_____ Tes amis te taquinent parfois (sans méchanceté!) parce que tu es si propre et ordonnée.

_____ Lire est une façon amusante pour toi d'entrer dans un monde de rêve. Tu adores passer du temps seule.

_____ Tu as l'esprit ouvert et tu aimes apprendre et faire de nouvelles choses excitantes. Tu es toujours au courant des nouvelles tendances.

 _____ Tu es extrêmement pointilleuse à certains égards. Par exemple, tu peux connaître par cœur le guide alimentaire et essayer de toujours manger ce qu'il faut.

 _____ Les gens te disent souvent que tu es créative.

 _____ Tu as le chic pour remonter le moral. Tu dis aux autres qu'ils peuvent accomplir tout ce qu'ils veulent!

 _____ Lorsque tu étais petite, tu adorais les contes de fées comme Cendrillon, Blanche-Neige et Raiponce. (En fait, tu les aimes toujours autant!)

 _____ Tu défends tes amies et tous les opprimés même si ça peut te placer dans des situations très délicates.

 _____ Tu es extrêmement extravertie. On ne t'a jamais dit que tu étais timide.

POINTAGE

Combien de fois as-tu coché chaque symbole? Trouve le symbole que tu as marqué le plus souvent et lis la description qui l'accompagne.

SURTOUT DES  :

Style intérieur = Fille fleur bleue

Ton style personnel est d'être calme et attentionnée, proprette et charmante. Comme tu es extrêmement bien organisée, tu as toujours le temps de faire quelque chose de gentil pour tes amis. Tu ne peux rien refuser aux autres. Tout ce que tu veux, c'est les rendre heureux! Tu adores les contes de fées et tu crois à l'amour véritable! C'est ce qui fait de toi une personne belle et charmante à l'intérieur comme à l'extérieur.

SURTOUT DES :

Style intérieur = Fille flamboyante

Tu es la fille la plus drôle et la plus joyeuse de tout le continent! Tu ne veux pas t'arrêter à des pensées tristes alors qu'il y a tellement de belles choses auxquelles on peut penser. Tu es toujours ouverte à tout. C'est ce qui fait de toi une amie compréhensive et fiable.

SURTOUT DES  :

Style intérieur = Fille fonceuse

Tu ne crains ni les grosses brutes ni les petits insectes, et bien des gens envient tes nerfs d'acier! Tu débordes d'énergie et tu peux abattre une quantité phénoménale de travail en un avant-midi! Tu as la bougeotte et rien ne peut te retenir. De plus, tes multiples talents – pour les sports, les matières scolaires ou quelque chose d'autre – te donnent une grande confiance en toi.

Surtout des  :

Style intérieur = Fille farfelue

Créative, aimable et vraiment unique – voilà des adjectifs qui te décrivent bien! Tu n'as pas peur de ce que les autres pourraient penser. Tu aimes être sur la corde raide et faire des choses qui te donnent le sentiment d'être extraordinaire et fantastique. Tu es toutefois très émotive. Tu n'y peux rien : tu ressens les choses de façon si intense. Cet aspect de ta personnalité pourrait faire de toi une grande actrice un jour! Sinon, tu continueras à divertir tes amis avec tes histoires à dormir debout.

TEST 2 : QUELLE EST TA TENDANCE?

Découvre ton style vestimentaire! Coche chaque énoncé qui s'applique à toi!

 _____ Tu essaies de porter des vêtements qui sont tout à fait toi, que personne d'autre ne porterait.

 _____ Tu aimes porter du noir. C'est chic, élégant et facile à coordonner!

_____ Vive le rose! Tu aimes également le mauve et toutes les couleurs pastel.

_____ Tu fuis les jupes! Tu ne t'habilles jamais chic à moins d'y être obligée.

 _____ Tu regardes parfois la télé en te concentrant sur les vêtements que portent les vedettes.

 _____ Tu préfères les friperies aux boutiques des centres commerciaux.

_____ Tu aimes les vêtements qui sont aussi décontractés que toi.

 _____ Tu aimes coordonner tes vêtements des pieds à la tête.

_____ Tu aimes les accessoires extravagants : ceintures, foulards, bijoux. Tu n'en as jamais assez!

 _____ Il n'y a rien comme de bonnes chaussures de sport. Tu adores tes espadrilles.

_____ Tu connais les toutes dernières tendances de la mode avant même qu'elles soient en magasin.

_____ Les gens te disent parfois que tu pourrais porter n'importe quel vêtement parce que tu as un sens du style vraiment unique.

_____ Ton cœur bat pour les robes ornées de perles et de boucles. Tu aimes aussi les bijoux et les bagues.

 _____ Tu portes n'importe quel vêtement, à condition qu'il soit confortable.

 _____ Tes amies te disent parfois qu'elles aimeraient être aussi raffinées que toi.

_____ Tu n'aimes pas les vêtements froissés; ça ne fait pas propre! Tu aimes également que tes souliers soient bien cirés.

POINTAGE

Procède de la même façon que pour le Test 1. Compte le nombre de fois que tu as coché chaque symbole. Détermine quel est le symbole que tu as coché le plus souvent et lis la description ci-dessous pour découvrir ton style!

 ## Fille fleur bleue

Motifs imprimés et vêtements parfaitement assortis : c'est tout à fait toi. Si un vêtement est féminin, doux et léger, tu veux le porter. Tu te sens belle lorsque tu portes des robes ou une jupe et un corsage bien coordonnés. Tu adores probablement voir la vie en rose! Tu es une vraie fille!

 ## Fille flamboyante

Tu aimes les vêtements modernes, les styles et les couleurs les plus chics. Tu t'inspires toujours de la télé et des magazines pour découvrir tes preferences préférences. Et c'est vraiment cool – tu adores porter des vêtements à la dernière mode. Par ailleurs, tu réussis toujours à conserver une apparence très raffinée, même si tu portes des jeans et un T-shirt. Tu as vraiment le chic pour t'adapter aux dernières tendances.

Fille fonceuse

Oui, tu aimes tes vêtements de sport. C'est que, lorsque tu t'habilles, tu recherches des vêtements confortables et pratiques. Tu détestes les vêtements qui t'empêchent de bouger. Tes vêtements doivent te laisser toute ta liberté de mouvement! Si tu veux faire une partie de ballon chasseur ou t'élancer sur la cage à grimper, tu ne veux pas que tes vêtements t'en empêchent. On ne te verra jamais porter une jupe, à moins de t'y obliger. Les jupes? Pas question!

Fille farfelue

Tu aimes les vêtements qui attirent l'attention, mais tu veux aussi qu'ils soient superbes et spectaculaires. Ton style n'a rien à voir avec la mode. Tu préfères mettre des choses qui révèlent ta vraie personnalité – même si, quelquefois, elles ont été fabriquées avant ta naissance! Tu adores les chapeaux aux couleurs vives et les lunettes de soleil extravagantes qui ne passent pas inaperçues. Tu as tellement confiance en toi que tu les portes à merveille. D'ailleurs, tout te va à ravir.

Un peu perplexe?

Tu as passé les deux tests, et ton style intérieur ne correspond pas à ton style extérieur? Ne t'en fais pas. Cela veut seulement dire que tu es unique. Youpi! En réalité, c'est ce que nous essayons de te faire comprendre.

Si tu as découvert que tu as une personnalité flamboyante, mais que tu aimes porter des vêtements fleur bleue et farfelus, c'est parfait! Tu dois simplement savoir qu'il faut toujours porter ce que l'on aime et agir de façon à être à l'aise. Toujours être soi-même : c'est ça qui est vraiment important.

Chapitre 6

Quelques secrets pour être belle

Rosie, Alex, Véro et Zoé ont toutes trouvé leur propre style, et elles sont prêtes à te révéler certains de leurs secrets. Elles ne connaissent pas tout sur le style, la mode, les vêtements et l'originalité, mais elles en savent pas mal! Voici certains de leurs petits secrets de magasinage! Avant de t'habiller, lis les conseils des ffffilles!

Les filles magasinent! Voici quelques conseils pour bien dépenser tes sous. Tu pourras peut-être en suivre quelques-uns!

Passionnée des coordonnés

1. Choisis un magasin que tu aimes beaucoup, et vas-y souvent! Le plus souvent possible! Lorsque tu recherches des vêtements parfaitement coordonnés, il faut habituellement les acheter dans le même magasin – et ça peut revenir cher. Il faut donc choisir quelques vêtements coordonnés que tu aimes, et retourner au magasin jusqu'à ce qu'au moins un des vêtements soit en solde. Tu peux alors te procurer de superbes vêtements sans te ruiner!

Coordination, quand tu nous tiens!

2. Les vêtements coordonnés sont tellement, tellement difficiles à trouver. Tu peux toi-même faire des ajouts pour qu'ils soient assortis. (Demande à un adulte de t'aider pour ce projet.) À n'importe quel T-shirt, tu peux ajouter des paillettes, de la peinture, des appliques ou une bordure de dentelle que tu achèteras dans un magasin de tissus. Puis ajoute le même motif au revers d'une paire de jeans ou au bas d'une jupe. Un adulte peut t'aider à coudre ou à utiliser de la colle chaude pour faire tes ajouts. Tu te retrouveras avec un ensemble coordonné qui est tout à fait toi!

Tu n'as pas le temps de magasiner?

3. C'est vrai que les filles qui ont la bougeotte n'ont pas beaucoup de temps pour magasiner. La solution? Les catalogues! Recherche les marques que tu as déjà achetées : ce sont des vêtements qui sont plus susceptibles de bien t'aller. C'est fantastique de trouver de beaux vêtements sans y mettre trop d'énergie. Il y a des filles qui aiment mieux jouer au soccer que magasiner!

Oups! Qu'est-ce que je voulais acheter?

4. Il arrive parfois qu'on oublie ce qu'on voulait acheter! Pour éviter que cela ne t'arrive, apporte avec toi les pages de magazines où tu as trouvé les vêtements qui te plaisent. De cette façon, tu achèteras exactement ce que tu voulais! Faire une liste ne nuit pas non plus.

N'adopte pas un nouveau look les yeux fermés...

5. Ne dépense pas trop vite ton argent – ou celui de tes parents – pour acheter des vêtements très mode. Achète ces vêtements à prix moindre ou en solde, surtout que tu ne voudras pas les porter très longtemps (même le style le plus *in* finit par être dépassé). Il vaut mieux dépenser plus d'argent sur des vêtements de base comme des jeans, des cols roulés, des chandails, des pantalons et des jupes.

Vive les friperies!

6. C'est facile de trouver des accessoires pas trop chers. Pour quelques dollars, tu peux trouver des manteaux, des châles et des sacs à main super-cool dans les friperies. Pour une fille farfelue, ces accessoires sont indispensables!

Furetage 101

7. Tu veux savoir où te procurer des vêtements rétro pour pas cher? Voici les endroits où une fille farfelue aime le plus fureter : 1) la garde-robe de sa grand-mère, de sa mère et de ses tantes (avec leur permission, naturellement!); 2) les mignonnes petites friperies; et 3) les magasins de l'Armée du Salut et les comptoirs familiaux.

Un look super, pas cher

8. Fréquente les magasins chics pour choisir tes vêtements, mais n'achète pas tes vêtements à prix élevé. Va plutôt dans un magasin qui vend moins cher et achète à prix moindre des vêtements qui ressemblent en tous points à ceux qui sont très coûteux.

Un must – à moins que tu ne sois comme Véro!

9. N'importe quelle fille qui a du goût te le dira : tout le monde a besoin d'une petite robe foncée simple mais élégante.

Un nouvel ensemble pour le prix d'un collant

10. Si tu veux vraiment donner de la vie à un ensemble, achète-toi des collants rayés ou de couleur vive. Voilà! Ils feront toute la différence, et tu n'auras acheté qu'une paire de collants extravagants! Les chaussettes rayées sont super-cool, elles aussi.

Peu importe les vêtements, tu es belle!

La plupart des filles aiment beaucoup de styles!
Heureusement, tu n'es pas obligée d'en choisir un seul.
Tu peux adopter différents styles au gré de ton humeur.
Chaque jour, tu peux être un peu différente.

Y avais-tu pensé?

1. Un petit emprunt

Même une fille fleur bleue aime avoir un look plus *in*
de temps en temps – pour aller danser, par exemple.
La solution est simple : emprunte les vêtements d'une amie.
Emprunter des vêtements, c'est fantastique! C'est amusant
de partager, surtout si tu peux, en retour, prêter un
vêtement à ton amie. Mais fais toujours bien attention
aux vêtements des autres!

2. Des vêtements au gré des humeurs

S'il fait froid dehors et que tu n'es pas de très bonne
humeur, enfile ton chandail le plus chaud et le plus
confortable. Cela te remontera le moral instantanément!
Ou, aux premiers jours du printemps, porte des couleurs
vives et laisse le doux soleil caresser ta peau.

3. Cas spécial — exposé oral

Si tu dois faire un exposé oral devant toute ta classe, tu dois vraiment être à ton meilleur. Une belle apparence te donnera la confiance dont tu as besoin et te mettra de bonne humeur. Alors, fais-toi plaisir!

4. Si tu te réveilles dans une forme splendide, porte ton ensemble préféré.

Pourquoi? Parce que ta journée n'en sera que plus belle!

5. Porte ce que tu veux

Ce n'est pas parce que tu es une fille farfelue que tu ne peux pas porter de vêtements de sport. Tu voudras peut-être porter un pantalon de survêtement ordinaire avec un étonnant T-shirt garni de pierres du Rhin. Fie-toi à ton instinct et crée les agencements les plus fous!

Comment s'habillent-elles?

Non, pas la façon d'enfiler leurs vêtements, mais plutôt la façon de décider lesquels porter! Chacune a ses trucs. Voyons voir si tu te reconnais...

LA FILLE FLEUR BLEUE est super organisée et aime tout prévoir. Chaque soir, elle choisit ses vêtements du lendemain et en profite pour leur donner un coup de fer.

LA FILLE FLAMBOYANTE y va selon sa fantaisie. Ses vêtements sont en parfaite harmonie avec son humeur du matin.

LA FILLE FONCEUSE attrape des vêtements au hasard dans sa garde-robe ou, sur le plancher de sa chambre! En fait, elle porterait tout le temps son pyjama de flanelle, mais comme c'est impossible, elle enfile ce qui lui semble le plus confortable!

LA FILLE FARFELUE aime vivre dangereusement! Tous les matins, elle ferme les yeux et tire quelque chose de sa garde-robe sans regarder. Elle ne sait pas si ce sera une jupe, un pantalon ou un chandail, mais elle trouve toujours le moyen d'utiliser ces vêtements pour créer un ensemble extraordinaire.

Tu vois, tu peux t'exprimer par tes vêtements. Vas-y! Profite de la vie et porte ce qui te plaît!

À plus tard! Ciao!

Espérons que ce livre t'a permis de constater que ce ne sont pas les vêtements, la coiffure et les accessoires qui rendent une fille cool. Tout ça, ce n'est qu'une petite partie de ce qu'elle est vraiment. Ce qu'elle est à l'intérieur et sa façon de se comporter sont des aspects beaucoup plus importants.

Tu n'auras probablement pas trouvé ton style bien à toi — à l'intérieur comme à l'extérieur — simplement en lisant ce livre. Il faut du temps pour trouver ce qui nous convient le mieux. La fille qui vit en toi est la plus cool de toutes. Laisse-lui toujours la possibilité de s'exprimer.

Allez, beauté! Réjouis-toi d'être ce que tu es! Et n'oublie pas : sois toujours toi-même!

Exprime-toi!

Donne-nous ton opinion — par courriel ou par la poste! Et viens visiter notre site Web (en anglais seulement) :

www.2grrrls.com

Adresse :

2 Grrrls

C. P. 75217

St. Paul MN

USA 55175-0217